삼각김밥 시집

삼각김밥 시집

발　행 | 2024년 07월 01일
저　자 | 광교호수중학교 2학년 3반(2024), 조매꾸 꿈런쌤 김병수
펴낸이 | 한건희
펴낸곳 | 주식회사 부크크
출판사등록 | 2014.07.15.(제2014-16호)
주　소 | 서울특별시 금천구 가산디지털1로 119 SK트윈타워 A동 305호
전　화 | 1670-8316
이메일 | info@bookk.co.kr

ISBN | 979-11-410-9187-3

www.bookk.co.kr

삼각김밥 시집

● 챕터 2 - 우리의 생각

여는 글
- 삼각김밥

삼각김밥

문시은

다양한 재료가 들어간 삼각김밥처럼
다양한 아이들이 있는 우리 삼반

김과 밥이 있어야 완성되는 삼각김밥 처럼
모든 아이들이 있어야 완성되는 우리 삼반

참치마요 같이 또 다른 재료가 있으면 더욱
맛있어 지는 삼각김밥 처럼
각자의 재능과 개성이 있어 더욱
멋있고 예쁜 우리삼반

삼각김밥 처럼 똘똘 뭉친
우리 삼반

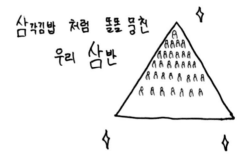

챕터 1
- 우리는 말이죠

우리는 어쩌면

김예원
'관계의 심리학'

우리는 어쩌면 거짓말쟁이일지도 몰라
더 나은 사람처럼 보이기 위해 가면을 쓰고 다니는 걸 보면

우리는 어쩌면 겁쟁이일지도 몰라
불의에 당당히 맞서지 못하는 걸 보면

우리는 어쩌면 바보일지도 몰라
사람의 마음은 돈으로 살 수 없다는 걸 모르는 걸 보면

〈악보〉

-이수빈

우리는 악보 위 음표들 처럼

자유분방 해보여도

제 자리를 지키며

음표 사이 쉼표들 처럼

중간중간 쉬면서

가끔은 느려지거나

빨라지기도 하면서

우리의 인생은

우리에 의해 작곡된다

과 학자의 서재

최우빈
-최재언-

나는 자연이좋다

개울가에서 가재를 잡는게 더 좋다
구덩이에서 시를 쓰는게 더 좋다

나비를 잡아서 노는게 더 좋다
곤충을 관찰하는게 더 좋다

내눈은 자연을 볼때더 반짝인다

나의 서재는 자연이다

Y

Y

해왕성

김민성

해왕성은 가장 멀리 떨어져 있지만
빠지면 태양계가 허전해진다.

해왕성은 가장 멀리 떨어져 있지만
어떤 행성보다 진하고 푸르다.

해왕성은 마치 꿈과 같다.
우리한테서 멀리 떨어져 있다.

그래도 괜찮다.
멀리 떨어져 있어도 없으면 허전하고
그 어떤 것보다 푸르다.

가장
설레는
시간

이름: 홍유찬
책제목: portugal

비행기를 탄 때도 아니고
낯선땅에 발을 디딜때도 아니고

여행 전 캐리어에 짐을 챙길 때,

떠나기로 마음을 먹고
여행을 준비하는 그 시간.

공항에 도착했을 때도 아니고

비행기 타기 전 짐 부칠때도 아니고

여행 전 캐리어에 짐을 챙길 때,

떠나기로 마음을 먹고
여행을 준비하는 그 시간.

항상 설레는 그 시간.

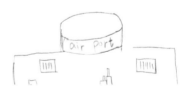

air Port

시험

최시우

봐도 봐도 또 보는 시험
볼때 마다 망하는 시험

열 심히 공부하면 성적은
오르지만 공부를 안하는 성적
결국 또 망한 시험

봄 이란

이슬찬 2.0번

봄이란 벚꽃처럼
생각에 빨리피고
빨리지는 계절

봄이란 절쭉처럼
꿈에대한 생각에
많게하는계절

봄이란 미세먼지처럼
무서운 시련도 많지만
재미있는 튼튼체력이 있는계절

난 어떤 봄이 좋다

16

선물의 무게

조예은

선물이 작아도
그안나 안에는

날위한 생각이
고만한 흔적이

위해준 시간이
고마운 마음이

모두다 있기에
너무도 무겁다

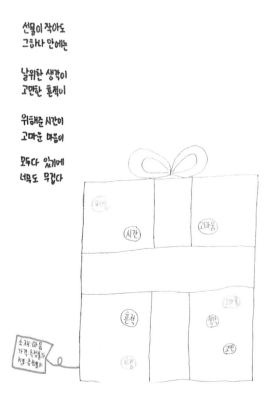

챕터 2
- 우리의 생각

순례자의 다짐

— 책 '우리가 빛의 속도로 갈수 없다면 · 김초엽

조예은

발맞춰 걸을게
너의 세계가 고통으로 가득 할지라도

늘 곁에 있을게
그 어떤 시련이 닥칠지라도

언제나 함께 할게
지금은 괴로울지라도

그보다 행복할테니

지우개

동글동글 지우개

어디서든 똥을싸는 지우개

보들보들 동글동글 지우개

쓰다보면 자꾸만 없어지는 지우개

지우개야 어디갔니

너에대한 기억까지 지운거니?

2032 최○○

사랑

2033.1 한도연

사랑의 'ㅁ' 모서리를 잘 갈고닦으면
사랑이 된다

멍하니 하늘을 바라보고 있으면
너만 가득한 내 머릿속이.

멍하니 너만을 생각하고 있으면
느껴지는 간지러운 감정이.

멍하니 나만을 생각하고 있으면
턱없이 부족해보이는 나 뿐인데.

나의 마음도 잘 갈고닦으면
너를 사랑할 수 있을까

나의 모습도 잘 갈고닦으면
네가 사랑할 수 있을까

동음이의어

정윤재

초록초록 바람에 휘날리는
공기를 맑게 해주지
끈적끈적 쩐득쩐득한
종이끼리 붙게해주지

아삭아삭 맛있는
우리의   를 채워주지
부우웅 부우웅 물위를 떠다니는
물을 갈라 앞으로 나가게해주지

천문학자는 별을 보지 않는다.

한지원
천문학자는 별을
보지 않는다.

천문학자는 별을 보지 않아
별빛이 저마다의 이야기를
하지만
그 너머의 우주의 비밀,
숨은 이야기를 관측해

천문학자는 별을 보지 않아
별들의 노래가 울려 퍼지리면
우주의 신비, 언어를 관측해

천문학자는 별들의
아름다움, 틈에
홀하지 않아

별들의 탄생과 죽음이
있는 별들의 공간
우주의 미를
관측해

24

제목: 가방같은 마음

지음: 손정민

가방 안에는 많은 것들이 들어간다,
마치 우리의 마음에 배려, 감사, 노력이 있는 것 처럼

가방 안에는 칼이 들어갈수도 있다.
마치 우리 마음이 찢어지는 것처럼.

그렇다면 가방과 마음의 차이는 무엇일까?
마음은 가방과 달리 절대로 잊어버리지
못한다는 것이다.

밤의 위로

이름: 킨은비
청제목: 계속 가보겠습니다.

풀벌레가 자작자작 작은 노래 불러준다
이 풀벌레가 무거운 짐을 들고간다

별들이 춤을 추며 반짝거린다.
이 별들이 어둠속에 희망을 보여준다

밤바람이 내 얼굴을 쓰다듬어 준다
이 바람이 큰 성장과 변화를 준다

밤이 위로를 건네고 나면
새출발 하라며 해를 불러준다

밤은 묵묵하지만
곁에 있어주는 감사한 존재다

재능

문시은
바보빅터

재능은 무지개 같아
어떤 사람의 재능은 운동,
또 다른 사람의 재능은 그림,
또 한 사람의 재능은 글
재능은 마치 다양하고 빛나는 무지개 같아.

재능은 보물 같아
"운동"이란 재능은 멋있고,
"그림"이란 재능은 놀라워
또 "글"이란 재능은 신비해
재능은 마치 금단을 지어내는 보물같아.

피라미드

이름 : 권은비

사람들은 다 다른 환경에 태어난다.
최상위, 포식자로 태어난 사람.
최하위, 생산자로 태어난 사람.
 시작점이 다른 사람들

 누군가 비행기를 타고 다닐 수 있다.
또 다른 누군가는   차를 타고 다닐 수 있다
 그리고   아무것도 없이 끌어다니는 사람이 있다.
 속도가 다른 사람들.

 사회에는 차이, 계급이 존재한다.
  이는   인간 사회에 피라미드이다.

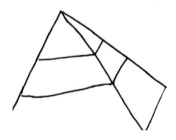

28

여우는 이과다

우서윤

나는 이 그림을 여우에게 보여주며 무섭지 않냐고 물었다.

그러자 여우는 "정규분포표"를 보고 누가 놀라? 하고 되물었다.

... 그래요, 여우는 이과였어요 ...

여우 : 정규분포표?

...

올탈라...

The End...

어디서 왔을까?

새로운 **미래** 어디서 왔을까?

새로운 **기술** 어디서 왔을까?

새로운 **인공지능** 어디서 왔을까?

새로운 **분석 데이터** 어디서 왔을까?

새로운 것들은 모두
새로운 언어, 빅데이터에서
온 거구나!

은방울꽃 에겐

줄기에 조롱조롱 달려 있는
하얀 은방울꽃

우리가 시험 보는 순간에
피어나
시험이 끝날때 진다네

백색에 보기힘든
은방울꽃

우리의 슬픈 마음을
하얗게 칠해써
형용과 사랑으로
채위준다

아주머니

홍유찬

영양사 아주머니께서 말하셨다.

"많이 먹어"
많이 줘야 많이 먹지.

이웃집 아주머니께서 1000원을 쥐어주시며 말하셨다.

"친구들이랑 맛있는거 사먹으렴"
5000원은 줘야 뭘 사먹지.

교회 아주머니께서 말하셨다.

"잘좀 먹고 다녀"
돈이 있어야 뭘 먹지.
아무것도 안 주면서.

32

친구

한 지원

물결 처럼 흐르는
시간 속에서도
늘 내 곁에 있는 건
바로 너

가장 밝은 별 처럼
언제나 내곁에
있어 줘서 고맙다
친구

세계사 한 입

한도연
〈하루 한입 세계사〉

바삭바삭 프라이드 치킨 한 입,
인종차별 생각 한 번.

새콤달콤 토마토케첩 한 입,
로마 제국의 멸망 생각 한 번.

짭조름한 팝콘 한 입,
제 2차 세계대전 생각 한 번.

담백한 참치 한 입,
일본의 전자 산업 생각 한 번.

음식들이 말해주는 세계사
우리들의 맛있는 세계사

믿음의 실체

조예은

믿음이란 말은
참 믿을 수 없어

늘 믿었다고 말하지만
사실 믿지 않았고

믿음직한 친구를 원하지만
자신은 그럴지 못하지

믿음이란 말을
믿어도 될까

믿음은 사실
불신이 아닐까?

최윤성

미술의 모든 과정은
'미'이다

살아 생전 성공하지 못한
루소의 삶도 아름다운
미이다

한송이 꽃이 있는 정물화에
담긴 의미도 작가의
미이다.

아름답게 살아가는 우리도
미가 담긴
미술이다.

딱 이정도

— 김민재

오늘 하루가
고된 하루 였더라도
나 자신을 칭찬 할수있는

딱 이정도가 좋다.

매일 매일이 행복하진 않아도
매일 매일이 불행 하지 않은

딱 이정도가 좋다.

내가 한 선택에
미련이 남더라도
책임감 을 가질수있는

딱 이정도가 좋다.

정효린
[문장력수업] 오 해

사람들은 언제나 어렵게 말한다

자신의 마음을 숨기려는 듯

사람들은 언제나 헷갈리게 말한다

자신의 감정을 숨기려는 듯

사람들은 언제나 힘들게 말한다

자신의 잘못을 숨기려는 듯

솔직한 한 마디면 될 것을

그 한 마디가 힘들어 '오해'를 만든다

독·후·시 프로젝트 / 포·감·우 김민재 - 다행히 괜찮은 어른이
되었습니다.
-김혜경

솜사탕
-김민재.

인연은 솜사탕 같다,

한때는 나에게 이가 썩을듯한 달콤함을 선물해주고
보고 있기만 해도 어릴때로 돌아간듯하며

가볍게 내 입안을 스쳐지나가
순식간에 사라져 버리는

인연은 솜사탕 같다.

우리에게 한국사란

김민성
(아름답게 있는 한국사)

우리에게 한국사란 무엇일까
한국사는 과거와 현재의 대화라는 얘기도 있고
우리가 절대 잊어선 안되는 것이라고 한다.

우리에게 한국사란 무엇일까
우리에겐 불치병 같은 역사가 너무 많다
아주 먼 옛적에도, 현대 시대에도

우리에게 한국사란 무엇일까
어쩌면 아직 발견하지 못한 역사가
아직 알려지지 않는 사실이 있을 수도 있다.

우리에게 한국사란 무엇일까
우리에게 한국사란 뇌로는 잊을 수도 있지만
마음으론 잊을 수 없는 것이다.

우리에게 한국사란 무엇일까
한국사는 우리에게 매일 숨쉰 같다.
어쩌면 지금의 숨쉰 한국사일 수 있다.

챕터 3
- 발전하는 우리들

그럴 수 있지

김예원

가끔 그럴 때가 있지

죽어라 했는데 안 한 놈보다 못하고

그럴려고 그런게 아닌데 괜히 싸움만 일으키고

발 한번 헛디뎌서 망신만 당하고

하지만 뭐 어때

가끔은 그럴 때도 있는 거지

성찰은 서비스

김민성

성찰하려면 노력이 필요하다
노력을 하면 성찰할 수 있다.

손 화살같이 날카로운 역경을 버티자.
앞으로 뻗어질 쓰나미 같은 고난을 막아보자.

누구나 힘든 상황은 온다.
누구나 버티기 힘든 때가 있다.

노력은 떠나지 않는다.
떠나지 않으면 성찰은 서비스다.

꿈

-이수빈

우리의 꿈은 흐르는 강처럼
각각 다른 길로
저마다의 속도를 가지고 흘러간다

꿈과 희망을 안고 흘러가는 우리
어쩌면 꿈을 이루었을 때보다
꿈을 향해가는 순간이
더욱 빛나는 것 아닐까?

나무늘보

정윤재
왜 여가리굼먼 할까?

30분부터 책상에 앉아야 다짐한다.
33분? 아 괜찮 지났네
하며 미루는 나무늘보

해와 함께 공부하는 개미
하루종일 풀만 먹다가
달과 함께 공부하는 나무늘보

하루종일 핑계되며 잠만자는 나무늘보
그의 특기를 발휘하여
미루는것을 미뤄보자

45

약한 사자

최시우

푸른 사자
와니 3

소문만 강한 사자

사실은 약한 사자

실제로 보면 실망하는 약한사자

약해도 용감한 사자

용감하게 검은 땅을 지키는 사자

하지만 약한 사자

색 -이수빈

우리가 살고 있는 마을은
점점 색을 잃어가고 있어

반대로 우리가 먹는 것들은
형형색색 다양해지고 있어

왜 색깔 있으려는 한 것이 없는데

저 작고 따따폭한 무언가가
마을의 색을 앗아간 걸까,

아니면 물 밖에 사람들이
우리의 목숨을 앗아가려 하는걸까,

못생긴 나무가 산을 지킨다

정현재

흔히 잡풀 취급하는 고사리
넘어지고 다쳐도 다시 일어나는 운동선수처럼
씩씩하게 잿 더미 속에서 가장 먼저 싹을 틔운다

길이도 짧고 몸통도 얇은 싸리나무
큰 불길 속에 들어가서 불을 끄는 소방관처럼
용감하게 불모지에 들어가 녹화를 시작한다

이런 나무세계에서 깨달은 진리 하나

보물찾기

강주원

삶이라는 땅 밑에
묻혀 있는 보물들

바쁘다는 이유에
묻혀 버린 보물들

언제나 나의 곁에
있어주는 소중한 보물들

별 것도 아닌 일에
소중한 보물을 놓치지 않기를

샐러드

-김민재

꿈은 샐러드 이다 。

내가 싫어하는

풀떼기들이 가득 들어 있지만

그 속을 잘 찾아보면

내가 기다리던 고기가 나오듯이

목표를 이뤄지까지

그 풀들을 먹어치우다 보면

언젠가 그 속에 있던

소중한 고기가 나오는것.

꿈은 샐러드 이다.

저희는 이 행성을 떠납니다.

—이동직

저희는 이 행성을 떠납니다.

지구 온난화로 인해 지구가 더워
지고 있어서? 아닙니다.

모기같은 해충들이 많아 서? 아닙니다.

새로운 곳이라 낯설고 두려워 서?

아닙니다. 우리가 행성을 떠나는
이유는 그 어느것 보다 무서운

지구인들의 시선과 언행 때문입니다.

51

궤도 이탈

강주원

- 싸가지 생존기 -

사람들이 말하는
생각의 정상 궤도

자신들의 주장만 옳다는
사람들이 자신을 욕한데도

아랑곳 하지 않고 나아가는
사람들이 해보는 다양한 시도

정상 궤도의 편견을 깨어 보는
사람들이 만드는 자신만의 궤도

생각의 궤도의 변화는
이상한게 아닌 좋은 시도

위 로

이현서
5동 2장

그대의 재능이 올라오길
수면 위로

그대의 꿈이 올라가길
하늘 위로

그대에게 되었긴
마음 위로

주 유 소

인생이 힘들고 지칠때
마음이 아프고 슬플때
주유소에 들려서 "희망"
이라는 기름을 주유 하세요

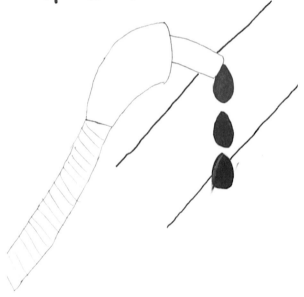

우리의 미래는

김예원

얘들아

긍정적인 단어 몇개만 떠올려 봐

행운, 축복, 희망, 사랑, 자유...

이 단어들의 공통점이 뭔지 알아?

다 우리의 미래라는거야

중간고사

이연서

4월, 동네 나무에 꽃송이가 필 무렵,
나의 머릿속 학습나무에도 꽃송이가 핀답니다.

그 나무는 아주 풍성하고 아름다운 꽃을 피워낼 수 있지만,
많은 방해요소들이 나무를 시샘하고 질투 한답니다.

학습나무를 갉아먹는 휴대폰 벌레.
햇빛을 가려버리는 구경을 구름.
멀리 핀 꽃송이도 날려버리는 까먹음 바람.

비록 이렇게 학습나무의 봄은 끝났지만,
천천히 여름을 기다리며, 오늘도 나를 키워나갑니다.

닫는 글
- 조매꾸

조매꾸

조매꾸의 키즈: 고은서

조매꾸는 왜 알아야하는가?
조금씩 매일 꾸준히라는
아름답고 깊은 뜻을 담은 말이니까.

조매꾸는 왜 좋은가?
조금씩 꾸준히 하다보면
목표를 이룰 수 있으니까.

조매꾸를 왜 해야하는가?
조매꾸를 하면
목표를 이룰 수 있는
학생이 될 수 있으니까.